O Natal Maravilhoso do Bolinha

Eric Hill

Era véspera de Natal

e o Bolinha estava a enfeitar a árvore de Natal. Estava muito bonita e ele pensou que a árvore poderia ficar ainda melhor se tivesse uma estrela lá no alto.

– Não vou pedir isso à mamã porque ela está muito ocupada a embrulhar os presentes. Eu consigo chegar lá acima se me esticar...

A mãe do Bolinha, a Patusca, apareceu logo para ver o que tinha acontecido.

– Bolinha, acho que estás a ficar muito excitado com o Natal.
Porque é que não vais lá para fora ajudar o pai a apanhar lenha
para a lareira?

– Está bem, mamã – disse o Bolinha.

– Acabo de enfeitar a árvore depois.

O Bolinha pôs o gorro e o cachecol e saiu a correr para ir ter com o pai.

– Bolinha, não te esqueças de fechar a porta... *devagar!* – disse
a Patusca.

Mas o Bolinha já tinha fechado a porta com toda a força e não
ouviu o que a mãe lhe recomendou.

O pai do Bolinha, o Pimpão, estava a pôr lenha num cesto. – Olá, Bolinha, pensava que estavas a enfeitar a árvore de Natal!

– Sim, pai, estava, mas os enfeites começaram a ficar muito excitados.

O Pimpão sorriu. – Pois é, eles ficam sempre assim, nesta época.

De repente, ouviu-se uma voz estranha que disse: – Olá, desculpem!

O Bolinha e o Pimpão olharam em volta. A princípio não viram ninguém, mas depois aperceberam-se de que havia uma cabeça um pouco acima do cercado.

– Viram por acaso um trenó?

– Um trenó grande, vermelho! – E nesse momento apareceu outra cabeça acima do cercado.

– É o trenó do Pai Natal! – disseram as duas cabeças ao mesmo tempo.

– Ele vai precisar do trenó logo à noite.

– Vocês são as renas do Pai Natal? – perguntou o Bolinha.

– Somos. Mas perdemos o trenó. E se não o encontrarmos, não haverá presentes para ninguém.

– Mas isso é terrível! – exclamou o Bolinha. – O que é que vocês vão fazer?

– Continuar a procurar – responderam as renas tristemente.

E desapareceram no bosque.

O Bolinha ficou muito preocupado.

– Tu podes ajudar, Bolinha!
Pergunta aos teus amigos se viram
o trenó – sugeriu o Pimpão.
– Vou já falar com a Lena
– disse o Bolinha.

A Lena estava na cozinha a fazer biscoitos. – *Uuuuh, Lena!*
– gritou o Bolinha. A Lena deu um pulo assustada e os biscoitos também pularam.

– Sabes, Lena, o trenó do Pai Natal perdeu-se e eu vou ajudar a
procurá-lo. Não o viste, por acaso?

– É grande e vermelho?

– Sim, sim, é!

– Tinha de ser! Não, não o vi. Mas porque é que não perguntas ao Joca?
Vou também à procura do trenó, logo que acabe de fazer isto.

– Está bem – disse o Bolinha. – Vou levar um destes biscoitos para mim.

– Ainda não estão prontos! – avisou a Lena. Mas o Bolinha já tinha saído.

O Joca estava a enfeitar a casa com tiras feitas de argolas de papel colorido quando de repente o Bolinha tocou à campainha. O Joca deu um salto e as tiras de papel também saltaram e enrolaram-se todas nele.

– Joca, viste o trenó do Pai Natal? Perdeu-se e é preciso encontrá-lo para ele poder entregar os presentes.

Mas o Joca não tinha visto o trenó do Pai Natal.
– Talvez o Barnabé o tenha visto. Vai perguntar-lhe. Eu também vou ajudar-vos daqui a bocadinho.

Parece-me que os teus enfeites de Natal estão a ficar muito excitados, Joca! – disse o Bolinha.

– Barnabé, estás aí? – chamou o Bolinha, batendo ruidosamente na caixa do correio.

O Barnabé estava a embrulhar uma bola nova muito bonita, que era o seu presente de Natal para o Bolinha. Ele deu um pulo e a bola pulou também e continuou a pular por toda a casa. – Espera um pouco! – gritou o Barnabé. E quando finalmente conseguiu esconder a bola dentro de um armário, disse:

– Entra, Bolinha, a porta não está fechada.

O Bolinha contou-lhe o que tinha acontecido ao trenó do Pai Natal.

– Não vi um trenó grande e vermelho – disse o Barnabé. – Mas vi um pequeno trenó azul!

– Onde?

– Aqui. É o meu trenó azul. Vamos dar uma volta nele!

– Nós temos de procurar o trenó do Pai Natal, mas... está bem, talvez possamos procurá-lo e deslizar na neve ao mesmo tempo.

O Barnabé e o Bolinha levaram o trenó até ao cimo de uma colina e instalaram-se nele.

– Segura-te bem, Bolinha!

O trenó começou a ganhar velocidade.

A Lena e o Joca estavam lá em baixo à espera.

– Cuidado, Lena! Cuidado, Joca!

O trenó desceu a colina aos solavancos e parou bruscamente num monte de neve macia.

– Que divertido, Barnabé! Vamos descer outra vez.

– Procurámos por todo o lado, mas não conseguimos encontrar o trenó do Pai Natal – disse a Lena. – Vocês já o viram?

– Esperem! – exclamou o Barnabé. O que é aquilo ali entre as árvores?

Havia qualquer coisa vermelha no meio dos arbustos.

– Que bom, vocês encontraram-na! – disse o Joca.

– Mas... isto não é o trenó do Pai Natal! – exclamou o Bolinha.

– Pois não, é a minha bola – respondeu o Joca. – Eu tinha-a perdido ontem. Que sorte!

– Podemos ir dar uma volta no trenó agora? – perguntou a Lena.

– Podem – respondeu o Barnabé. – Mas não se demorem.

– Continuem a procurar o trenó do Pai Natal! – recomendou o Bolinha.

A Lena e o Joca levaram o trenó do Barnabé para o cimo da colina.

– O teu trenó é fantástico! – disse o Bolinha. – Quem me dera ter um igual!

– Devias ter posto um na tua lista de presentes para o Pai Natal – disse o Barnabé.

– Agora já não vou a tempo – respondeu o Bolinha. – De qualquer maneira, o Pai Natal não nos vai trazer nada este ano se não encontrarmos o trenó dele.

A Lena e o Joca desceram a grande velocidade.

– *Uau,* que divertido! – gritou a Lena.

– Não vimos o trenó do Pai Natal – disse o Joca.

– É só mais uma corrida – avisou o Barnabé. – Mas desta vez vamos descer até mais abaixo!

– Sentem-se os dois no trenó – disse a Lena. – Nós damos um empurrãozinho.

– Prontos, firmes, *partida!* – O Joca e a Lena empurraram o trenó com toda a força e ele deslizou pela colina abaixo, cada vez mais depressa, e só parou quando se enfiou por entre as árvores.

– Ena, que grande corrida! – disse o Bolinha.
– Mas... Barnabé, *olha para ali!*

O Barnabé voltou-se para ver. – Lena! Joca! Venham ver o que o Bolinha encontrou!

— É muito grande! — disse a Lena.

— E muito vermelho! — exclamou o Joca.

— É mesmo o trenó do Pai Natal! — confirmou o Barnabé.

– Bem, agora temos de encontrar as renas – disse o Bolinha. – Vou contar ao meu pai.

   – Já são horas de irmos para casa – aconselhou a Lena. – O teu pai deve saber o que se há-de fazer.

   – Boa sorte, Bolinha! – disseram os amigos quando ele se afastou.

   O Pimpão estava a acabar de levar a lenha para casa.

   – Encontrámos o trenó, pai. Está no bosque!

   – Bravo! Portaram-se muito bem!

   – Mas agora como é que eu vou encontrar as renas para lhes dizer que o trenó apareceu?

   – É muito fácil! Segue as pegadas delas!

Havia duas linhas de marcas paralelas deixadas na neve. – Isto é realmente muito fácil! – pensou o Bolinha. Inclinou a cabeça sobre as marcas e correu o mais depressa que pôde, por dentro e por fora dos arbustos e girando em círculos até ficar tonto. E de repente, *pum!* – foi de encontro a umas pernas muito compridas.

Desculpem, eu estou à procura de... Oh, estava mesmo à *vossa* procura!
– E encontraste-nos – disseram as renas.
– E também encontrei o trenó!
– Óptimo! Salta cá para cima e conduz-nos até onde ele está.

– Isto é ainda mais divertido que o trenó do Barnabé! – disse o Bolinha.

– Achas divertido? Então devias experimentar o trenó do Pai Natal! Queres? – perguntaram as renas.

– Claro que *sim!* – disse o Bolinha. – Olhem, lá está a minha casa, deixem-me perguntar primeiro ao meu pai.

A princípio, o Pimpão não estava muito convencido. – Já é muito tarde, Bolinha.

– Nós não vamos muito longe – disse a primeira rena.

– É só por pouco tempo – disse a segunda rena.

– Está bem, Bolinha, mas só porque é Natal! – respondeu o Pimpão.

– Tens de regressar antes de escurecer.

– Obrigado, papá – agradeceu o Bolinha.

As renas estavam muito contentes porque o trenó não tinha um único risco.

— Entra, Bolinha. Vamos partir.

O trenó ganhava velocidade à medida que saía do bosque e se elevava do chão. O Bolinha avistou a sua casa com a árvore de Natal junto à janela.

De um momento para o outro, estavam muito alto no céu e a casa do Bolinha parecia um brinquedo pequenino. Voaram também sobre as casas do Joca, da Lena e do Barnabé; e a aldeia e os campos avistavam-se lá em baixo, muito longe. Depois, o céu escureceu e as luzes acenderam-se por toda a aldeia.

O Bolinha olhou para cima e exclamou: – Oh, lá estão as estrelas!

– Ele gosta de estrelas – disse a primeira rena.

– Então vai ver mais estrelas – disse a outra rena.

O trenó subiu ainda mais alto, descreveu um enorme círculo e as estrelas caíram à volta deles como uma chuva cintilante.

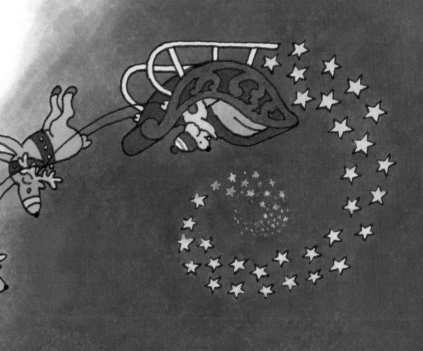

– Agora vamos em direcção às
montanhas! – disseram as renas.

– Montanhas? – perguntou
o Bolinha. – Não há montanhas
por aqui!

Mas, de repente, surgiu uma
vasta cadeia de montanhas,
mesmo diante deles.

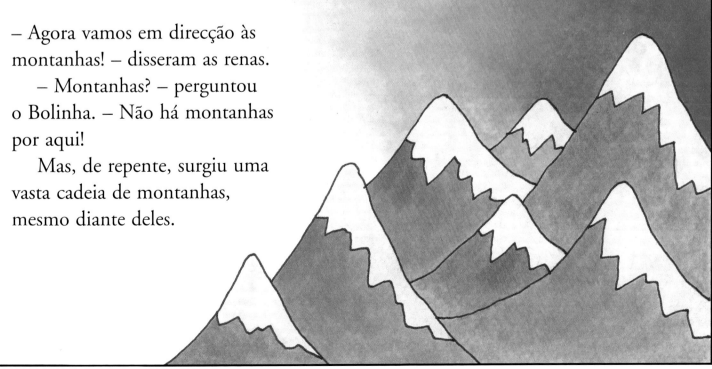

O trenó começou a descer em direcção a um vale situado entre as montanhas. No fundo rochoso do vale, havia uma caverna por onde o trenó
entrou.

O Bolinha, deslumbrado, mal podia respirar. Ele nunca vira tamanha azá-
fama.

– Mas aqui é a oficina do Pai Natal! – exclamou o Bolinha. E nesse
momento, o Pai Natal apareceu numa das aberturas da rocha e acenou-lhe
com a mão. O Bolinha mal podia acreditar no que via.

   – Agora já são horas de te levarmos a casa – disseram as renas. – Vamos
ter uma noite muito ocupada.

O trenó deixou a caverna e as montanhas e iniciou a viagem de
regresso através das estrelas até à aldeia do Bolinha. Por fim, aterrou
mesmo ao lado da casa do Bolinha.

– Muito obrigado – disse o Bolinha.
– Foi uma viagem maravilhosa!
  – Bem, o Natal é maravilhoso!
– responderam as renas.

O Bolinha olhou para o céu. Ainda era
dia e não havia estrelas.
    Quando ele se virou, as renas e o
trenó tinham desaparecido.

O Pimpão ainda estava junto da lenha, exactamente onde o Bolinha
o deixara. – Olá, Bolinha, pensei que tinhas ido dar uma volta!
    – Fui, pai. Foi maravilhoso!
    – Mas não demoraste muito! – disse o Pimpão.
    – Pois não, não demorei mesmo nada!
– respondeu o Bolinha.

O Bolinha entrou em casa e disse à mãe que
tinha tido uma aventura inacreditável.
    Ela tirou uma meia de Natal de uma
gaveta. – Acho que deves pendurar esta
meia, Bolinha. O Pai Natal está quase
a chegar!

O Bolinha foi espreitar à janela. Agora já estava escuro.

— Sim, eu sei, mamã — disse ele.

E durante um breve momento, lá no alto entre as estrelas, ele avistou as duas renas e o Pai Natal no grande trenó vermelho.

E, na manhã seguinte,
havia um presente muito,
muito especial para
o Bolinha...